Waar zijn de Spatjes?

Waar zijn de Spatjes?

Anke Kranendonk
Met tekeningen van Mariëlla van de Beek

LEESNIVEAU

		ME	ME	ME	ME	ME		
AVI	S	3	4	5	6	7	P	
CLIB	S	3	4	5	6	7	8	P

reünie; humor

Toegekend door Cito i.s.m. KPC Groep

1e druk 2009
ISBN 978.90.487. 0315.9
NUR 283

Vormgeving: Rob Galema

Uitgeverij Zwijsen B.V. Tilburg

Voor België:
Uitgeverij Zwijsen.be, Antwerpen
D/2009/1919/199

Inhoud

Oma – in de ochtend

Oma stapt uit de luxueuze taxi die ze speciaal voor deze gelegenheid heeft besteld. De zon schijnt, de magnoliaboom staat in volle bloei, het wordt een onvergetelijk weekend.

Met een klap gooit ze het portier van de taxi dicht. De taxichauffeur beweegt even met zijn hoofd, alsof hij het kabaal uit zijn oren wil schudden.

Oma recht haar rug, ze priemt haar wandelstok in het grind en kijkt om zich heen. Voor haar ligt majestueus de grote villa waar ze dit weekend met haar hele familie zal verblijven. De tuin rondom het huis ligt er schitterend bij onder de eerste zonnestralen. Oma snuift intens, de geuren van de forsythia en de brem dringen diep naar binnen.

Dit wordt een onvergetelijk weekend.

De vorstelijke deur van de villa zwaait open. Op het bordes verschijnt een keurige heer, zijn grijze golvende haren zijn beschaafd achterover gekamd. Uit het zakje van zijn donkerblauwe colbert steekt een rood zakdoekje, gevouwen in een punt.

Statig daalt de man de paar treden van het bordes af.

'Mevrouw Spatjes!' begroet hij oma enthousiast.

Oma kijkt de hoteleigenaar strak aan.

'Mevrouw Spatjes?' zegt ze. 'Wie verschaft u de eer

om me zo te noemen? Deze naam is alleen voor intimi. Ik wens aangesproken te worden met mijn volledige naam: Mevrouw barones Von Spazieren bis Wandern, streep De Kok. Want dat is mijn meisjesnaam: De Kok. Pas als we op vertrouwelijke voet komen te staan en ik er toestemming voor geef, kunt u mij Spatjes noemen.'

De hoteleigenaar kijkt oma geschrokken aan. De taxichauffeur blijft op gepaste afstand.

Oma wacht even met praten.

'Ach, nou ja,' zegt ze dan. 'Laten we maar meteen familiair doen. Vooruit, noem mij maar Spatjes.'

Ze stampt nog een keer met de punt van haar wandelstok in de aarde.

'Goede grond hier. Maar wat treuzelen we nog. Meneer Abdis van de taxi, u kunt gaan. Dank voor de dodenrit. U reed veel te hard. Maar ja, dat scheelt mij in de centen. U kunt de rekening naar mijn huisadres sturen. Dat heeft u, want u hebt mij daar opgehaald. Toch zal ik het adres voor de zekerheid nog maar een keer herhalen: Von Weitenbachlaan 3 te Wolfheze. Dank u zeer en tot ziens.'

Oma Spatjes zet een stap naar voren en priemt haar wandelstok in het grasveld.

'Redelijke aarde,' zegt ze en ze kijkt goedkeurend naar het strakke gazon waar nu een gaatje in zit en een worm zijn kop naar boven steekt. Bijna priemt ze de punt van de wandelstok in het oog van de worm, maar de hoteleigenaar weet haar op tijd bij de arm te pakken.

'Alles wat leeft, laten wij hier leven,' zegt hij. 'Respect voor mens en dier, mevrouw Spatjes von Wanderbergen.'

Oma Spatjes kijkt omhoog, naar de lange meneer in zijn onberispelijke outfit.

'Als je mijn naam niet kunt onthouden, dan noem je me maar oma. Tenslotte ben ik dat ook. Maar kom, waar is iedereen?'

Oma kijkt in het rond. Er is niemand te zien.

Ondertussen staat de taxichauffeur nog steeds bij zijn auto te wachten.

'Mevrouw,' zegt hij, als oma eindelijk even niets zegt. 'Het is de bedoeling dat u contant betaalt.'

Oma draait zich om naar de chauffeur.

'Beste kerel,' zegt ze. 'Vertrouw je me niet? Jij denkt natuurlijk: zo'n oud mens, en dan een toer van tachtig kilometer, dat is idioot lang voor een taxiritje. En dus krankzinnig duur. Dat kan ze vast niet betalen. Welnu jongeman, ik zal je dit zeggen: ik kan dat makkelijk betalen. Morgen word ik vijfentachtig, vandaag geef ik een feest. Ik heb vast niet lang meer te leven, dus heb ik besloten om al mijn centen er doorheen te jassen. Hoppetee! Geloof je me niet?'

Oma knoopt haar jas los, graait met haar hand in haar jurk en trekt een paars briefje van vijfhonderd tevoorschijn.

'Is dit genoeg?' roept ze triomfantelijk.

De taxichauffeur doet een stap naar achteren en botst tegen zijn eigen auto op.

'Ja, mevrouw Von Plezieren tot Warhoofden, of zo iets, mevrouw Spatjes, oma. Ik hoop dat ik voldoende wisselgeld heb.'

Hij draait zich om, duikt in zijn auto en komt terug met een grote zwarte portemonnee. Hij ritst hem open en betaalt oma het wisselgeld, enkele munten en voor de rest briefjes van vijftig.

Als oma alles ontvangen heeft, geeft ze hem een briefje van vijftig euro terug.

'Alsjeblieft beste jongen, doe er iets leuks mee.'

De mond van de taxichauffeur valt langzaam open. Verbaasd kijkt hij oma aan.

'Wat ik je zeg, volgens mij ben je van buitenlandse komaf en die hebben het tegenwoordig slecht te verduren in ons land. Een ontwikkeling waar ik niet gelukkig van word. Je hebt me keurig behandeld, mijn dank is groot. Tenslotte ben ik een lastig, oud mens.'

Oma gooit haar hoofd in haar nek en schatert het uit. 'Ja!' roept ze. 'Ik zeg het maar vast, voordat een van jullie het zegt. Nu, vaarwel mijn beste knaap, ik hoop dat je er morgen om vijf uur weer staat voor de terugrit. Ik kan me natuurlijk laten vervoeren door een van mijn familieleden, maar ik behoud liever mijn zelfstandigheid.'

Oma Spatjes geeft de taxichauffeur een klapje op zijn schouder. Van schrik doet hij een stap naar voren. Hij herstelt zich snel, groet oma en de hoteleigenaar, die geduldig naast oma heeft staan wachten, en vertrekt. Het grind onder zijn wielen spat alle kanten op als hij met ronkende uitlaat het pad afrijdt.

'En nu,' zegt oma, die zich tot de hotelbaas wendt. 'Waar is iedereen?'

De man schudt zijn hoofd. 'Ik zou het niet weten,' zegt hij.

Waar is iedereen?

'Wat zou u niet weten, meneer de hotelier?'
'Waar uw familie momenteel vertoeft,' antwoordt de hotelbaas.

Plotseling verandert de gebogen, bejaarde dame in een fier rechtopstaande, strijdlustige jongere.

'U weet niet waar mijn familie uithangt? Bent u helemaal van de toiletpot getrokken, meneer de interessant doende hotelbaas? Heb ik potverdriedubbellejannogwat een halfjaar geleden dit geheel, veel te dure, over het paard getilde, opgekalefaterde, verlopen jachthuis gehuurd om mijn laatste verjaardag te vieren. Nu ja, een van mijn laatste verjaardagen, maar dat het een heugelijk feit is, dat mag iedereen begrijpen. En nu verkondigt u dat mijn hele familie niet is komen opdagen? Is er bij mij boven een steekje los, of is in uw hersenpan het hele breiwerk uitgehaald?'

De hotelbaas loopt naar het terras, pakt een plastic tuinstoel en gaat weer terug naar oma Spatjes.

'Neemt u even plaats,' zegt hij beheerst.

Oma Spatjes kijkt de man verbaasd aan. Ze verandert weer in een gebogen, oude vrouw en ploft op de stoel.

'Wat een zenuwengedoe,' zucht ze.

De hotelbaas pakt voor zichzelf ook een stoel en gaat tegenover oma zitten.

'Ik begrijp dat u gespannen bent,' zegt hij vriendelijk. 'Het is nogal een enerverende situatie, zo'n vijfentachtigste verjaardag. Ik heb dat zelf nog nooit meegemaakt, ikzelf ben pas achtenveertig, maar toch ...'

Oma Spatjes valt hem vinnig in de rede: 'Ga nou niet de psychiater uithangen. Dat soort geintjes ken ik inmiddels wel. Help me liever.'

De hotelbaas knikt. Hij veegt met een paar vingers door zijn weelderige grijze haardos, waardoor er een paar keurige strepen in komen.

'Laten we bij het begin beginnen,' zegt hij.

Oma steekt de wandelstok zo hard in de grond, dat hij wel een speer lijkt.

'Welk begin?' roept ze en trekt de wandelstok uit de grond. Een dikke, glibberige worm kronkelt zich om de punt heen. Hij trekt wit weg en zwiept zijn achterlijf de lucht in. Direct trekt de hotelier het noodlijdende beestje van de punt en stopt hem weer terug in het gaatje in de grond.

'Mevrouw Spatjes,' zegt hij gedecideerd. 'Rustig nu. Het begin is het begin. Hoe laat is het?'

'Weet ik veel,' moppert oma. 'Kan mij het schelen. Als het zo moet, heb ik al geen barst zin meer in het feest. Ik had me er onnoemelijk op verheugd. Al maanden geleden heb ik eigenhandig 3D-kaarten zitten knutselen om de hele familie uit te nodigen. Mijn zoon zou de brieven op de post doen, hij is tenslotte postbode. Daarna heb ik van niemand meer iets gehoord. Ik dacht dat het bij het complot hoorde. Iedereen weet van de reünie, en in het geniep zetten ze gezellige cabaretstukjes voor mij in elkaar. En dan gaan ze voor me zingen hoeveel ze van me houden, en hoeveel ze aan mij te danken hebben. Maar niets hoor, ze komen niet eens opdagen, stelletje verwende, egocentrische snertkinderen.'

Oma Spatjes zwijgt, ze trekt haar neus eens op en veegt onopvallend een traan uit haar ooghoek.

'Mijn man is ook al dood, al achtentwintig jaar. Nou, dat is geen lolletje, hoor. Anders kon hij me helpen. Niet dat ik geen zelfstandig opererend persoon ben, maar een beetje geestelijke bijstand op zijn tijd kan voor niemand kwaad. Ook niet voor deze geëmancipeerde dame.'

Ze zucht.

'Ik begrijp dat het u emotioneert.'

Oma haalt nog eens flink haar neus op en kijkt de hotelbaas aan.

'Nu ja,' zegt ze. 'Dit beetje begrip is al heel wat. Ik zal het accepteren.'

Op zoek

De hotelbaas zet zijn ellebogen op de stoelleuning en legt zijn vingertoppen tegen elkaar. De wijsvingers houdt hij tegen zijn lippen.

'Om te beginnen is het even na elven. Vanaf hoe laat had u uw gasten willen verwelkomen?'

'O,' zegt oma. 'Is het nog maar zo vroeg? Hoe kan dat? Is de zomertijd plotseling ingegaan? Leven we hier op een ander continent, zijn hier onderhuidse aardstralen die de boel door de war gooien?'

'Niets van dit al, mevrouw Spatjes.'

'Klets toch niet zo interessant,' zegt oma weer ongemeen fel. 'Zie je niet dat ik totaal in de war ben?'

De hotelbaas knikt. 'Dat vermoeden had ik al. Maar vertelt u mij, hoe laat had u uw gasten verwacht?'

Oma denkt na.

'Dat is het hem nou juist, dat weet ik niet meer.'

De hotelbaas fluit onhoorbaar tussen de vingers die nog steeds tegen zijn mond aan staan.

'Om te beginnen kunnen we verifiëren of u wel dit weekend zou komen. Of dat ik me misschien vergist heb. Ik kan dat nu meteen wel even checken.'

De hotelbaas staat op, laat oma in eenzaamheid achter en betreedt het statige pand.

Er komt een poes aan wandelen. Een roodwitte kat, die haast op kousenvoeten naar oma sluipt. Oma heeft niets in de gaten. Diep in gedachten verzonken staart ze naar de punt van de wandelstok, die ze weer in de grond heeft gespietst. Pas als de kat zijn kop tegen oma's been schurkt, schrikt ze op. Meteen geeft ze de kat een zetje met haar voet.

'Ga weg, beest,' zegt ze. 'Ik ben zwaar allergisch.'

De kat blijft drie stappen verderop staan, kijkt naar oma en miauwt.

'Arme kat,' zegt oma ineens zachtmoedig. 'Ik ben niet bepaald vriendelijk tegen je. Sorry hoor, ik geloof dat ik al mijn spanningen op jou botvier.'

Ze bukt zich en wenkt de kat door met haar vingers over elkaar te wrijven.

'Weet je hoe dat komt? Omdat ik een vrij complexe familie heb. Mijn vier kinderen zijn nogal extreem in hun gedrag. Ze zijn allemaal allerschattigst, maar ze hebben zo hun gebruiksaanwijzing. Snap je dat, kat? Mijn oudste zoon verdient ongehoord veel geld en scheurt rond in de meest luxueuze Ferrari's, van die rode knalpotauto's. Dan krijgen we Johannes, die postbode is. '

De kat miauwt. Stram komt oma Spatjes overeind. Meneer de hotelbaas is weer gearriveerd en gaat zitten. Op zijn schoot ligt een stapel papieren.

'Het staat genoteerd, kijkt u maar,' zegt hij. 'Het tweede weekend in april, de familie Von Wanderen zum Spazieren - De Kok. Arrivatie: 13 uur; 's middags vrij:

om 18 uur diner dansant. Gezellig dineren, met een orkestje erbij. Wie wil, kan een dansje wagen.'

'Precies,' zegt oma. 'En als ik zo naar u kijk, mag ik u dan vragen wat u van plan bent, deze avond?'

Meneer de hotelbaas kijkt oma aan.

'De boel in de gaten houden, uiteraard,' zegt hij. 'Wat dacht u dan?'

'Ik dacht, misschien kunnen we een foxtrotje wagen?'

Waar blijft de familie?

De hotelbaas wordt knalrood. 'Sorry,' stamelt hij. 'Ik heb al verkering. Mijn vrouw zal binnenkort arriveren. Ze is naar de boerenmarkt voor kippenniertjes.'

'Hè getsie,' zegt oma meteen. 'Die gaan we toch niet eten, vanavond? Ik HAAT kippenniertjes.'

'O nou ... ja ... nou ja,' stamelt de hotelbaas.

'Barnevelder scharrelkippenniertjes, ik moet bijna kokhalzen bij het idee. Excuseer mij, meneer de hotelbaas. U kunt mij alles serveren, behalve Barnevelder kippenorganen. En natuurlijk ook geen kabeljauw. Daarvan kan ik ineens heel dik worden en ter plekke dood neervallen. En dat zou toch zonde zijn. Heb ik het mijn hele leven uitgehouden en ben ik nooit aan rare dingen doodgegaan, en dan bezwijk ik op een van mijn laatste verjaardagen, door een onoplettendheid van de kok, aan een kabeljauwallergie.'

Oma zwijgt.

Er komt een jeep de oprijlaan oprijden.

'Daar zal je haar hebben, mijn schoondochter Georgina,' zegt oma. 'Ik mag niet oordelen, maar zij is wel een over het paard getilde, omhooggevallen middenstandsdochter. Haar vader was een simpele kruidenier, die van alles en nog wat verkocht. Maar deze Georgina heeft een intelligente, gewiekste zakenman aan de haak geslagen. Zo'n vent die zo'n mobiele telefoonwinkel kocht en verkocht en toen ineens schatrijk is geworden. En nu doet hij iets met een gratis krantje; wordt hij nog rijker. Mijn zoon dus. Die Georgina is wel een overdreven tante. Ze houdt van heel dure sieraden. Ze is ermee behangen.' Oma zucht. 'Maar ze is wel lief,' zegt ze er achteraan, maar dan zwijgt ze plotseling.

Uit de auto stapt helemaal geen mevrouw vol kettingen en oorbellen; uit de jeep stapt een slanke mevrouw met hoge bruine haren.

'Kijk aan,' zegt oma. 'Een wandelend ooievaarsnest. Kijk die toef op haar hoofd, is dat werkelijk stro?'

'Dat is werkelijk mijn verloofde,' zegt de hotelier bedaard.

Oma kijkt naar de hotelbaas, die is opgestaan om het portier voor zijn geliefde te openen. Nu wordt oma toch wel een beetje rood. Haar leven lang probeert ze vriendelijk en aardig voor iedereen te zijn en niet zo snel te oordelen. Hoewel ze haar leven lang van alles van iedereen vindt. Maar dat mag je niet zeggen, dat is onbeleefd. Nu is oma flink bejaard en het lijkt alsof de rem van haar beschaving is gehaald. Ze flapt alles er zomaar uit, terwijl ze eigenlijk niemand wil krenken.

De verloofde van de hotelbaas geeft hem een kusje op zijn mond. Even aait de man haar over haar wang. 'Zal ik je assisteren, lieveling?' vraagt hij. Dan fluistert hij iets, maar oma heeft het verstaan.

'Ja, kippennieren, het spijt me, daar is mijn strottenhoofd te smal voor. Als ik ze doorslik, blijven ze in mijn keel steken, en een kippennier in je strottenhoofd is geen lolletje. Ik ben er ooit bijna aan doodgegaan, toen ik met mijn eerste verloofde aan het dineren was. Ik stikte en hij gaf me zo'n goedbedoelde klap tussen mijn longen, dat de kippennier eruit vloog en aan de overkant bij een restaurantbezoeker in haar nek schoot. Hij gleed bij de rits aan de achterkant haar jurk in. En ik vloog met mijn hoofd in de romantische kaarsvlam. U zult begrijpen dat ik met zo'n bodybuilder niet getrouwd hoefde te zijn. Het idee dat hij je de eerste de beste keer al bijna naar het andere einde van de wereld zou hebben geslagen. Nee hoor, dat hoef ik niet. Ik ben daarna met een rustige, kalme, bescheiden man getrouwd. Iemand die weinig zegt, maar wel serieus en intelligent is. Kijk, daar houd ik van.'

Meneer en mevrouw lijken niet echt naar oma te luisteren. Ze hebben het achterportier van de jeep geopend en pakken er allebei een witte krat uit. De kratten liggen afgeladen vol met bruine, bloederige stukjes vlees. Mevrouw de hotelbaas houdt een krat voor haar buik en draait zich naar oma.

'Geeft niets, mevrouw, dan voeren we ze aan onze poes. Ik gooi ze in de diepvries, naast de zwezeriken. Lust u die wel?'

Oma trekt een vies gezicht en wijst naar haar borstbeen. 'Dat is toch dat dingetje dat bij jonge kalfjes ergens bij hun borstbeen zit?'

De blonde vrouw knikt.

'Nou, dat is ook bepaald niet mijn favoriet. Kunnen we niet gewoon patat met appelmoes en doperwten eten, net als vroeger?'

'Wat u wilt,' antwoordt de hotelier. 'Maar zullen we nu eerst kijken wat er met uw familie aan de hand is?'

Oma zucht diep en knikt.

Op kantoor

'Graaft u even goed in uw geheugen,' zegt Lambert, de hotelbaas. Oma zit een beetje onderuitgezakt op de draaibare bureaustoel in zijn kantoor. Haar voeten rusten op de schoot van Pamela, de verloofde van Lambert. Pamela heeft een theedoek over haar benen gelegd, waarop de voeten van oma rusten. Beheerst masseert ze de rechtervoet van oma. Oma's voeten waren moe geworden.

'Hoezo, moet ik in mijn geheugen graven? Het is toch geen aangelegde tuin daarboven in mijn hersenpan,' zegt oma, die zo af en toe met een pijnlijke grimas op haar gezicht haar voet onder de handen van Pamela vandaan trekt.

'Nee, ik bedoel het figuurlijk. Het is nu al bij enen, en er is nog niemand van uw familie hier.'

Oma zucht diep. 'Kan er nu nooit eens iets vanzelf gaan? Moet het leven altijd over hobbels, langs doornen takken, door kuilen, in ravijnen. Bah, zelfs dit op mijn oude dag. Au!'

Oma trekt haar voet van de schoot van Pamela.

'Wat doe je daar?' roept oma. 'Dit is geen kalmeringsmassage, maar een lichamelijke marteling. Wil je me op deze manier aan het praten krijgen? Nou, dat zal niet lukken. Als jullie zo beginnen, zeg ik niets.'

'Het kan goed zijn, dat u ergens anders in uw lichaam iets voelt, terwijl ik uw voeten masseer.'

Oma staat op. Met haar blote voet stampt ze op de grond.

'Zeg ooievaarsnest, nu moet jij eens even goed naar me luisteren. Dat ik een knettergekke, dementerende bejaarde ben, die niet weet wanneer haar familie komt opdagen, geeft jou nog niet het recht om me hier ijskoud in de maling te nemen. Dit hier zijn mijn voeten. Als je mijn voeten kneedt, doen mijn voeten pijn, en verder niets. Maak het niet gekker. We zeiden het vroeger al: als ik hier duw, komt het er daar uit.'

Oma wijst eerst op haar voorhoofd en dan op haar achterwerk.

Ineens staat ze rechtop.

'Johannes de Geit,' zegt ze. 'Die zou de kaarten op de post doen.'

Lambert kijkt oma verbouwereerd aan. 'Johannes de Geit?' vraagt hij. 'Wie is dat? We leven niet meer in de prehistorie, mevrouw Von Wandern. Vroeger hadden we de postkoets, maar die hebben we niet meer. Tegenwoordig gaat alles digitaal.'

'Ja, aan je garnaal. Niets ervan. Mijn zoon, die Johannes heet, maar soms een beetje van slag is, en een sikje draagt, dat is onze geit. Zo noemen we hem al jaren. Mijn geitje zou voor mij de brieven posten. Maar ik weet wel weer hoe laat het is. Mijn zoon zit in de put, hij is depressief, de kluts kwijt, weet niet meer wie hij is, en dan komt er geen brief de deur uit.'

'Johannes de Geit,' zegt de hotelbaas.

'Ja, zo noemde zijn broer hem vroeger. Omdat hij nogal sloom is. Zijn broer vindt hem totaal mislukt, maar eerlijk gezegd vind ik dat niet. Weet je wat het is? Eigenlijk snap ik die Johannes, mijn kleine geit, wel.'

Lambert wrijft met zijn hand in zijn nek en beweegt zijn hoofd heen en weer.

'Zullen we hem even bellen?' vraagt hij.

Oma snuift, ze trekt haar kleding recht en stapt weer in haar pumps. Intussen is Pamela er stiekem tussenuit geknepen.

'Denk je dat hij in die plaggenhut van hem een telefoonaansluiting heeft? Ben je gek, we zullen er heen moeten.'

Meneer Lambert knikt afwezig. Ondertussen staart hij naar het beeldscherm van zijn computer. Hij schijnt van alles te lezen, zo ingespannen tuurt hij naar het scherm.

'Hier staat hij,' zegt hij.

'Waar?' vraagt oma. Ze loopt om het bureau heen en gaat naast Lambert staan. Als ze kijkt, zakt haar mond open.

'Potverpierekus,' zegt ze. 'Mijn eigen geit, op de tv.'

Lambert schudt zijn hoofd. 'Dit is geen tv, maar een pc.'

'Of een wc, het is mij om het even. Wat nu? Kan ik met hem praten?'

Lambert wijst naar het beeldscherm van de computer. 'Kijk,' zegt hij. 'Een mobiel nummer. Ik zal hem bellen.'

Hij haalt een mobieltje tevoorschijn en toetst het telefoonnummer in. Even later gaat er een kiestoon over.

Oma snuift. 'Pas maar op,' zegt ze.

Johannes de Geit – in de vroege ochtend van dezelfde zaterdag

Het is nog vroeg als Johannes wakker wordt van het gefluit van de vogels. Het is een ochtend als iedere andere, maar toch heeft hij een vreemd voorgevoel. Johannes weet niet of het een leuk of een verdrietig gevoel is. Het is van allebei een beetje. Even blijft hij liggen, maar dan staat hij op en neemt een warme douche. Na zich te hebben afgedroogd, hijst hij zich in zijn postbodeoutfit en stapt op zijn degelijke herenfiets.

Flarden mist hangen tussen de bomen van het bos, als Johannes het pad van zijn huis af rijdt. Hij ruikt de lente. Hij heeft zijn kraag rechtop gezet en luistert naar de vogels. Hun gezang maakt hem opgewekt en bedroefd tegelijkertijd.

Als hij het donkere bos verlaat en de openheid van de polders inrijdt, weet hij het: deze ochtend ligt er een brief van zijn geliefde Marjorieke, voor hem, voor Johannes. O, wat is hij verliefd op Marjorieke!

Johannes stapt het donkere postkantoor in, groet zijn collega's, die allemaal nog half slapend boven hun bak met brieven staan, en gaat aan het werk. Hij sorteert de brieven op straatnaam en huisnummer en ondertussen hoopt hij en hoopt hij ...

Zou er vandaag een brief van Marjorieke bij zitten? De vrouw op wie hij al zoveel jaren verliefd is?

Terwijl Johannes de brieven op de juiste stapeltjes legt, gaan zijn gedachten terug naar lang geleden. Zijn lieve Marjorieke met haar vuurrode haren zwaaide naar hem toen ze op de nachttrein naar Parijs stapte. Ze had hem hartstochtelijk op de lippen gekust en hem in zijn oor gefluisterd: 'Ik kom terug, dan trouwen we en krijgen we kindertjes. Lieve schattige Johannesjes en vrolijke Marjoriekjes met vlechtjes in hun haren.'

Johannes had moeten huilen van geluk, daar op het perron. Hij zwaaide haar na, toen de trein fluitend en langzaam het oude, statige station uitreed.

Sindsdien heeft Johannes niets meer van haar gehoord. Dat kan toch niet? Wat is er fout gegaan? Zijn de brieven weggewaaid, is ze verongelukt, of is ze ziek geworden? Of erger, heeft ze een temperamentvolle Fransoos aan de haak geslagen?

Johannes moet er niet aan denken.

Pfff, Johannes zucht als hij er weer aan denkt.

Plotseling springt zijn hart op. Uit de witte enveloppen steekt een minuscuul blauw puntje. De lievelingskleur van Marjorieke. Zou ze, zou ze ...?

Johannes grist de envelop uit de stapel.

Het is een brief van de belastingdienst, geadresseerd aan ene meneer Jonker, de rijkste man van de buurt. Blijkbaar heeft hij weer zo veel verdiend, dat hij nu veel geld aan de belasting moet betalen.

Johannes gooit de brief terug op de stapel.

Vandaag weer geen brief van zijn meisje.

En terwijl de eenzaamheid op zijn schouders valt, bindt hij grote elastieken om de verschillende pakketjes.

Buiten stopt hij de post in zijn fietstassen en draait zijn fiets om. Bijna kiepert de fiets achterover en kukelt Johannes in het zand. Hij kan nog net zijn evenwicht bewaren en op de fiets springen. Als hij maar vaart heeft, blijft de fiets rechtop.

Bij de eerste straat zet hij zijn fiets tegen een heg. Hij pakt een stapel post uit de fietstas, haalt er het elastiek vanaf en gaat aan zijn ronde beginnen.

De meeste huizen hebben groene brievenbussen aan de straatkant, maar bij het derde huis ligt de brievenbus aan gruzelementen op de grond. Johannes moet nu wel het lange erf op lopen om de post te bezorgen. Direct slaat er een hond aan. Hij blaft zo vervaarlijk, dat Johannes zich omdraait en het pad weer afloopt. De brieven zijn nog niet in de bus gedaan. Dan maar bij de buren. Het is toch niet zo erg dat de post een keer bij het verkeerde adres wordt bezorgd? De mensen mogen zelf ook wel een keer lopen voor hun brieven.

Johannes gaat terug naar zijn fiets om een nieuwe stapel uit de tas te pakken. In de mist ziet hij een boom niet staan. Bijna botst hij ertegenop. Johannes schrikt zich een hoedje. Het liefst zou hij met zijn rug tegen de dikke boom aan leunen en niets meer doen. Maar hij moet door!

Er is bijna niemand op straat, de mensen slapen nog.

Hij, Johannes, loopt als enige de mensen te bedienen.

En nu moet hij naar de wc. Waar?

Nergens. De mensen slapen, de kroegen zijn nog dicht, winkels zijn er niet in deze wijk. Hij zou zo maar ergens tegen een boom kunnen plassen. Maar dat is strafbaar. Het is ten strengste verboden om tegen een boom, een hek, of een vuilnisbak te plassen. Je houdt het maar op!

O, terwijl iedereen post krijgt van Johannes krijgt hij alleen maar moeie voeten.

Thuis

Johannes gaat naar huis, ook al is hij nog niet klaar met zijn ronde. Zodra hij thuis is, gaat hij naar de wc. Als hij klaar is, haalt hij buiten de post uit zijn tas en legt die binnen in stapeltjes op de grond.

Van zijn oude, knoestige houten tafel pakt hij een doosje lucifers en steekt een kaars aan. Tenminste nog een beetje warmte in zijn houten huisje, daar midden in het bos.

Hij loopt naar de keuken, schenkt water in de fluitketel en zet hem vervolgens op het vuur. Uit het keukenkastje pakt hij een reep chocola, trekt de wikkel eraf en stopt een grote hap in zijn mond. Lekker, chocola met notenvulling, een kleine troost als je je verlaten voelt.

Johannes kijkt om zich heen. Overal op de vloer liggen stapels brieven die eigenlijk voor andere mensen bestemd zijn. Rechts de liefdesbrieven in gekleurde enveloppen. Daarnaast de brieven met poëzieplaatjes erop geplakt. De hoogste stapel ligt vol enveloppen waarop een levensechte lippenstiftzoen is gezet.

Het is natuurlijk verboden, het is schending van het beroepsgeheim, maar Johannes heeft het gedaan. Alle brieven uit zijn postwijk heeft hij achtergehouden om ze in alle rust te bekijken.

Eerst hield hij de brieven tegen het licht, maar dan kon hij de brieven niet lezen. Toen had hij er wat anders op gevonden.

En nu doet hij het weer. Hoewel hij weet dat hij er nog meer verdriet van krijgt. Johannes knielt bij de stapel post, pakt de brief waarop een plaatje is geplakt en loopt ermee naar de keuken. Boven de stoom van het kokende water weekt hij voorzichtig de envelop los, haalt de brief eruit en gaat zitten lezen:

Lieve Astrid,

Het mag eigenlijk niet, want je hebt al een vriendje, maar ik vind je zo aantrekkelijk, dat ik elke nacht over je droom. Kunnen we een keer afspreken?

Hij maakt een volgende brief open:

Schatje, snoesje, scheetje. Telkens als ik aan je denk, ontsnapt er een gasje uit me, of een boertje, een hikje, of een ander onaangenaam geluidje of geurtje. Ik houd van jou en van je hond, ja zelfs van je goudvis. Maar ook de geur van je deodorant vind ik lekker. Wanneer zullen we trouwen? Nu? Ooo, ik houd het niet meer.

Johannes leest de brieven en huilt een paar dikke tranen, zonder dat hij er iets van merkt. Totdat er een traan op de brief drupt. Er komt een vlek op en van het schoonschrift is niet veel meer over. Johannes doet de brief terug in zijn envelop, lijmt hem dicht en legt hem terug op de stapel.

Moet hij de brief alsnog bezorgen? Kan hij het aanzien dat een ander gelukkig wordt en hij niet? Is hij jaloers?

Nee, dat is het niet. Maar het lukt niet, het gaat eenvoudigweg niet.

Johannes kijkt naar de stapels brieven die in zijn huis liggen. Allemaal bestemd voor andere mensen. Er zitten ook onaardige brieven bij. Mensen zijn verbaasd, verdrietig of boos omdat hun geliefde niet terugschrijft. Logisch, want de brieven liggen bij Johannes thuis.

Johannes nipt van zijn koffie, hij kijkt door de wakkerende kaarsvlam naar alle brieven in zijn huis en neemt een besluit. Nu echt! Hij heeft het zich al zo vaak voorgenomen. Maar nu gaat hij het doen! Morgen als de zon schijnt en de hemel lichtblauw is gekleurd, zal Johannes de post alsnog gaan brengen. En ook al lukt het niet in één keer. Stukje bij beetje zal het toch moeten lukken. Ieder mens heeft tenslotte recht op zijn eigen liefde!

Zijn oog valt op een rood puntje dat uit de stapel steekt, in de hoek van de kamer.

Marjorieke

Johannes springt op. De tafel wiebelt en de koffie gutst over de rand van het kopje. Johannes slaat er geen acht op. Hij knipt een lamp aan en valt op zijn knieën bij de stapel. Hij pakt het rode puntje tussen zijn duim en wijsvinger en trekt hem uit de stapel. Dat de brieven nu door de war op de grond liggen, deert hem niet. Johannes staat op, pakt een schaar, gaat zitten en houdt de brief bij het kaarslicht.

Voor *J. vWbS*, leest hij.

Voor J. vWbS … Johannes von … Maar dat is, dat is hijzelf! Dat hij daar niet eerder aan gedacht heeft. *Johannes von Wandern bis Spazieren*, dat is hijzelf!

Johannes is zo gewend dat hij Johannes de Geit wordt genoemd, dat hij zichzelf ook zo is gaan noemen. Maar zo heet hij niet. Hij heet …

Johannes roetsjt met een zwierige haal de envelop open. Met trillende handen tovert hij de brief tevoorschijn. Hij ruikt het meteen: het parfum van zijn Marjorieke.

Johannes sluit zijn ogen en ruikt intens diep aan de brief. Zonder dat hij het doorheeft, biggelen er tranen over zijn wangen. Marjorieke, Marjorieke, zijn meisje.

Johannes vouwt de brief open. Hij is roze van kleur en met sierlijke letters heeft ze geschreven:

Liefste Johannes,

Het spijt me dat ik je niet eerder heb geschreven. Maar ik was verdwaald. Vraag niet waar en hoe; ik was een poosje de weg kwijt.

Nu heb ik hem weer gevonden en zit ik weer op het juiste spoor.

Wil je me vergeven? Ik mis je. Ik heb je nodig.

Zaterdag, de tweede van de maand april, arriveer ik omstreeks 13.00 uur op station Spaarnwoude. Wil je me komen afhalen? Ik zal je in mijn armen sluiten, je kussen en nooit meer van je weggaan.

Je innig liefhebbende,
Marjorieke

PS Ik wil nog steeds een kindje.
PPSS Kun je nog steeds zulke mooie slaapliedjes zingen?

Johannes houdt de brief vast en staart voor zich uit. Het bloed is uit zijn hoofd gestroomd; hij voelt zijn wangen trillen. Is het waar, is het echt waar? Eigenlijk zou hij zo verschrikkelijk graag willen huilen. Van opluchting, van spanning, van ontroering, van liefde. Zijn meisje zijn lieve Marjorieke is terug. Zijn vrouw, die zo stoer en zo vurig is, maar hem, de gevoelige Johannes eigenlijk zo nodig heeft.

Johannes de Geit, de mislukkeling, de minkukel die geen cent verdient, die in een plaggenhutje in het bos leeft, die niet gestudeerd heeft, die geen school heeft afgemaakt, die zelfs geen zwemdiploma heeft omdat hij altijd van die paarse lippen kreeg, wordt gemist.

Ach, wat wil hij graag voor zijn vrouw zorgen, haar beschermen tegen alle bozigheid van de wereld. En dan krijgen ze kindjes, en die mogen de hele dag hier in het bos spelen. De kindertjes hoeven niet naar de voorschoolse, de tussenschoolse en de naschoolse opvang. Ze hoeven niet op gymnastiek, want ze kunnen hier in de bomen klimmen. En ze hoeven niet op muziekles omdat ze hier automatisch met de vogels zullen meezingen. En ze hoeven geen enge boeken over tovenaars te lezen, omdat hier genoeg elfjes en kabouters leven, met wie ze vrolijk kunnen fantaseren.

Johannes leest de brief nog een keer. Het staat er echt. Ze komt terug, de tweede zaterdag in april. Wanneer is dat precies? Johannes denkt na, hij pakt zijn agenda en slaat hem open. Er staat niets in, hij schrijft nooit wat op. Johannes houdt er niet van om te leven met allerlei verplichtingen. Hij ziet wel wat de dag hem brengt.

Verleden week werd het zomertijd. Dat weet hij nog. De vogels floten later dan anders. Dan is het nu ... dan is het nu de tweede zaterdag van april!

Johannes springt op. Hoe laat is het? Wat heeft hij aan? Hij moet zich scheren. Waar ligt Spaarnwoude? Hoe komt hij daar? Hij moet bloemen kopen, rode rozen. En zijn huis schoonmaken, en het bed verschonen. O Marjorieke!

De telefoon. Ook dat nog. Wie belt hem? Zijn baas? Nee toch, niet nu.

Johannes zoekt zijn telefoon, die ergens ongegeneerd ligt te rinkelen en te trillen.

Zijn mobieltje ligt op de bank, achter een kussen. Johannes neemt de telefoon op, kijkt op het display en ziet een onbekend nummer. Hij drukt op het groene knopje en houdt de telefoon bij zijn oor.

'Met Johannes,' zegt hij met een zachte stem.

'Met je moeder, Geit.'

Johannes' moeder, mevrouw Spatjes

Johannes zegt niets. Zijn moeder is aan de telefoon. Wat heeft hij nu weer fout gedaan?

'Zeg Geit, weet je waar ik ben?'

Johannes geeft geen antwoord.

'Hé, doorgepiekerde kluizenaar van me, dromer eerste klas, schattebout, halfgaar gekkie. Ik zit hier in mijn eentje met een hotelbaas, met zijn vrouw en haar op hol geslagen kapsel. En weet je wat ik hier zit te doen? Een beetje uit mijn neus te pulken. Waar blijf je?!'

Johannes' moeder schreeuwt zo hard, dat Johannes de telefoon ver van zijn oor houdt.

Waar zit ze? Wat is er allemaal aan de hand?

'Johannes! Je zegt niets!'

Johannes laat zich op de bank vallen. Hij luistert naar zijn moeder die nog lang niet is uitgesproken.

'We zouden hier toch mijn verjaardag vieren? Jij had toch de 3D-kaarten meegenomen? Je zou ze op de post doen voor mij, of zelfs allemaal eigenhandig bezorgen. Je weet wel, ik had de hele familie in 3D geknipt. Zeg Geit, je zegt niets?'

Het blijft stil aan beide kanten. Dan zegt Johannes: 'Marjorieke komt terug.'

Oma brengt geen woord meer uit. Na een tijdje hoort

Johannes een diepe zucht. Oma fluistert bijna onhoorbaar: 'Mijn Johannes, ik ben gelukkig voor je.'

Het is weer een tijdje stil. Dan roept oma: 'Maar nu moet je komen! En iedereen moet komen, het is feest! Man, misschien ben ik bijna dood, dan moeten we toch vieren dat ik nog leef! En ja, misschien ben ik niet altijd aardig tegen jou geweest, misschien had ik te weinig geduld en te veel kritiek. Maar kunnen jullie me nu allemaal even vergeven? We doen toch allemaal ons best? Johannes de Geit, kom, zodat ik je in mijn armen kan sluiten, en, net als vroeger, een smakkerd op je voorhoofd kan plakken!'

'Mam,' zegt Johannes voorzichtig. 'Marjorieke komt NU.'

Grote organisatie

Oma weet van verbazing niet wat ze zeggen moet. Ze zit op de bureaustoel in het kamertje van de hotelbaas, die haar even alleen heeft gelaten.

Terwijl ze telefoneert, speelt ze met de muis van de computer. Oma werkt nooit op een computer en weet ook niet wat ze ermee kan doen. Maar de muis lijkt net een auto en eigenlijk is oma nog steeds dol op autorijden.

Helaas mag ze het niet meer, haar ogen zijn te slecht. Ze heeft een bril met jampotglazen, zoals haar kleinzoon dat altijd zo liefdevol uitdrukt. Veraf kijken kan oma nog wel, maar alles wat dichtbij is, lijkt zo klein als een mier. Ooit reed er een vrachtwagen voor haar, maar oma dacht dat het een speelgoedautootje was. Ze reed recht op de vrachtwagen af. Haar auto was zo klein, dat die onder de grote auto door schoof. Sindsdien is oma maar niet meer gaan autorijden. Ook loopt ze daardoor een tikkeltje gebogen.

Daarom speelt ze nu met de muis en heeft ze allang door, dat er dan op het beeldscherm een pijltje kriskras heen en weer beweegt.

'Moeder ...' vraagt Johannes voorzichtig. 'Hoe moet het nou?'

‘Weet jij het, kind?’ zegt oma. ‘Mijn fantasie laat me nu volledig in de steek.’

Johannes hoort het aan haar stem. Zijn stoere en sterke moeder klinkt even heel breekbaar. Zijn dappere, oude moeder, het kranige mens, zoveel is er eigenlijk niet meer van over.

‘Moeder,’ zegt Johannes. ‘Sorry, de brieven liggen nog hier. Maar ik bel ze wel.’

‘Ach nee kind,’ zegt oma. ‘Ga jij je Marjorieke nu maar halen. Maar beloof me één ding: als je haar hebt gevonden, kom dan direct naar ons toe. Zonder jou geen groot feest.

‘Is goed, moeder.’

Oma begint bij haar oudste zoon. Ze draait zijn nummer en nadat de telefoon een paar keer is overgegaan, wordt er opgenomen.

‘Von Spazieren.’

‘Spatjes hier, waar blijf je?’

‘Moeder,’ zegt de oudste zoon Albertus. ‘Hoe is het, zo’n dag voor uw verjaardag?’

‘Hoe het is, hoe het is?’ roept oma uit. ‘Zal ik jou dat eens vertellen? Ik zit hier te wachten in een met goedkoop schrootjeshout verbouwd vervallen kasteel, totdat jullie arriveren. Waar blíjven jullie?’

‘Wij?’ vraagt Albertus met een kakstem. ‘We zijn druk.’

‘Ja ja,’ antwoordt oma. ‘Dat ken ik. Met golfen en

hockey en cricket en surfen en bodyboarden en meer van die idioot dure sporten. Man, spring op je fiets en kom snel, dan rukken we de kurken van de champagneflessen.'

Haar zoon Albertus lacht. 'Oma, we zetten alles voor je aan de kant. Ook al dachten we dat je morgen jarig was en we dan bij je wilden komen. Het maakt niet uit, als jij het wilt, komen we er nu aan. Maar ik kom in mijn nieuwe Lamborghini, als je het goed vindt.'

'Man, ook al kom je in je Lambrusco, maakt mij het uit. Als je maar opschiet.'

Ze wil al bijna de hoorn op het toestel gooien, als Albertus nog net kan vragen waar dat verbouwde landhuis zich bevindt.

De twee dochters

Het duurt verschrikkelijk lang voordat er bij oma's dochter wordt opgenomen. Maar als er dan wordt opgenomen, kakelen er meteen vier stemmen door elkaar:

'Met Storm.'

'Met Sterk.'

'Met Stoer.'

'Met Zus.'

Dan hoort oma een heleboel kabaal. Dat gaat ongeveer zo:

'Laat los.'

'Ik was het eerst.'

'Nee, ik.'

'Jullie zijn altijd als eerste, nu wil ik een keer opnemen.'

'Kinderen!' gilt oma. 'Haal jullie moeder, stelletje onbeleefde apenkoppen. Het is onfatsoenlijk om zo door elkaar te gillen.'

'Oma!' wordt er door vier kinderen geroepen. 'U bent bijna jarig, we hebben een liedje ingestudeerd!'

Plotseling hoort oma niets meer.

Even later komt haar dochter aan de telefoon.

'Met Katinka.'

'Troela, kun je je kroost niet een beetje beter opvoeden?' roept oma meteen.

'Moeder, nee, wat wil je met vier superdrukke kinderen. Maar u weet, ze zijn nog steeds de liefste kinderen van de wereld.'

'Ja ja,' bromt oma. 'Maar leer ze een keer ordentelijk te telefoneren. Dit is toch geen stijl, vier door elkaar krijsende broertjes en een zusje. Wist jij dat wij ooit een zeer beschaafde familie waren?'

'Ja moeder,' zucht Katinka. 'Waarom belt u? Is de appeltaart aangebakken?'

'Ik dank je de koekoek. Denk je dat ik op mijn oude dag nog goudrenetten ga schillen en rozijnen ga wellen om er een in elkaar gezakte appeltaart van te bakken? Welnee kind, ik heb taarten bij de patisserie besteld. Maar waar blijven jullie?'

'Waar ik blijf, moeder? Nogal logisch, in ons chalet in Zwitserland. Ik sta boven op de Mont Blanc. U moet opschieten, want straks moet ik weer snowboardles geven.'

Oma schudt haar hoofd, op de bureaustoel, in het kantoortje van meneer Lambert.

'Ben jij wel helemaal wijs, om op je vijftigste nog op zo'n plank in de sneeuw te gaan staan? Het wordt tijd dat je voor een rollator gaat sparen. Je hebt de soepele spieren niet meer van een jonge blom. Nu moet je komen!'

'Nee, moeder, morgen. We stappen na mijn snowboardles op het vliegtuig en komen dan naar je toe.'

'Ben je helemaal betoeterd! Het is nu feest!'

'Moeder,' zegt Katinka.

'Katinka,' zegt oma Spatjes.

Er drupt een traan uit het oog van oma.

'Wat is er?' vraagt Katinka zacht.

'Alles mislukt,' snift oma. 'Het was zo goed georganiseerd, maar die geit heeft jullie blijkbaar geen post gestuurd. Zit ik hier met een hotelbaas en zijn getoupeerde verloofde.'

Door de telefoon klinkt een harde schreeuw.

'Moeder,' zegt Katinka. 'Naast mij wordt Stoer door zijn grote broer gemarteld. Ik hang op, want ik moet hem redden. We komen zo snel mogelijk. Ik zal Jochem vragen of hij onze privéjet klaarzet. Zodra mijn les voorbij is, komen we naar je toe.'

'Zonde van de vliegtickets,' snift oma. 'Maar zo'n privéjet is ook leuk. Hoe komen jullie daaraan?'

'Verdiend,' zegt Katinka.

'Ja, ja,' zegt oma.

Ze legt de telefoon neer. Nu moet ze nog één kind bellen, haar jongste dochter.

Anneriek en Claudia

'Met Anneriek.'

'Met je moeder.'

'Mams! We hebben gezinsuitbreiding, het is zo leuk!'

Oma Spatjes slikt even en denkt na. Haar jongste dochter, die ook al bijna vijftig jaar is en een dochtertje van vijf jaar heeft, krijgt er nog een kind bij?! Haar dochter, de wereldberoemde kunstenares, die prachtige schilderijen maakt, maar helaas niets verdient. Zij nog een kind?!

'Mam!' roept Anneriek aan de andere kant van de lijn. 'Mijn kleine Claudia ...'

Oma Spatjes sluit haar ogen. Claudia, oma's kleinkind ... oma begrijpt er niets meer van. Gezinsuitbreiding? Dat betekent toch dat er een kleine bij komt?

Ah! Oma begrijpt het. Anneriek gaat vast een schattig kindje uit een ver, arm land adopteren.

Oma sluit weer even haar ogen. Wat halen haar kinderen zich toch altijd op de hals? Nu dit weer. Anneriek heeft geen cent. Ze kan niet eens een fatsoenlijk huis betalen, en dan nog een kind erbij.

'Mam ...,' hoort ze haar dochter zeggen. 'Claudia heeft een Russische dwerghamster. Zó schattig. Je weet wel, zo eentje met een streep over de rug. Hij is snoezig.

Of zij, we weten niet of het een mannetje of een vrouwtje is.'

Oma laat haar hoofd hangen. Een Russische dwerghamster. Wat is dát nou weer? Een hamster, dat weet oma. Die hadden haar kinderen vroeger ook. Alleen ontsnapten die altijd en gingen ze achter het fornuis zitten. En wat een dwerg is, weet oma ook nog wel. Maar een Russische dwerg?

'Moeder ...' hoort oma Anneriek zeggen. 'U bent niet eens enthousiast. En u bent nog wel jarig, morgen.'

'Daarom juist!' roept oma ineens uit. 'Ik zit hier al minstens drieënhalf uur te wachten totdat het mijn eigen, artistieke, sportfanatieke, eigenzinnige kinderen een keer behaagt om hun oude moeder te komen kussen. Kom, het feest is begonnen!'

Nu blijft het stil aan de andere kant van de lijn.

'Moeder,' fluistert Anneriek. 'We kunnen niet komen, morgen.'

'Nee!' roept oma. 'Het is nu! Ik heb een familiereünie georganiseerd. Speciaal voor jullie, om weer eens fijn allemaal bij elkaar te zijn en uren te kunnen praten over jullie onbezorgde jeugd! Schiet op, maak voort!'

'Mam,' zegt Anneriek zacht. 'Het zit er niet in.'

'Waarin? Praat toch niet altijd in die vage teksten. Waar zit wat niet in?'

'We kunnen geen oppas vinden.'

Komt alles ooit goed?

Oma zit nog steeds in het kantoortje van Lambert, de hotelbaas. Zo af en toe steekt hij even zijn hoofd om de deur om te zien of oma nog in gesprek is. Om de kosten een beetje te drukken, heeft hij oma de vaste telefoonlijn gegeven.

'We kunnen geen oppas vinden,' heeft oma zojuist haar dochter horen zeggen.

'Waarvoor?' stamelt oma.

'Voor Poetin, onze Russische dwerghamster.'

Oma veert overeind. Ze gaat rechtop zitten en met van woede samengetrokken lippen, perst ze eruit: 'Ben je gek geworden? Ben je helemaal doorgeslagen in je overbezorgde opvoeddrift? Een oppas voor een doorgefokte dwerghamster? Heb je jezelf horen praten? Weet je wat normaal is? Je geeft het beest, het zal wel een knaagdier zijn, drie extra stukjes voer en een stuk Chinese kool in zijn hok en je kijkt er niet meer naar om. Hoe haal je het in je hoofd om zo'n klein rotmormel meer aandacht te schenken dan je oude moeder die misschien wel bijna doodgaat!'

'Maar moeder,' stamelt Anneriek. 'Claudia heeft last van verlatingsangst.'

Nu knijpt oma zowat de hoorn van de telefoon aan gruzelementen.'

'Verlatingsangst? Weet je wel wat dat betekent? Dat betekent dat je bang bent dat je moeder je in de steek laat, of je vader. Maar dat betekent niet dat je bang bent dat je hamster je in de steek laat! Wil je de dingen wel een beetje helder blijven zien? Een hamster is een hamster en een kind is een kind. En dat kind voed je op. Dat kind doet wat jij zegt. En als je zegt dat je nu naar de verjaardag van je oude moeder gaat, en dat Claudia meegaat, dan is dat zo.'

Oma zucht. Even denkt ze na. 'En anders neem je dat dwergmormel maar mee. Ik reken op je komst. Over en uit. Amen.'

De deur van het kantoor gaat open. Meneer Lambert verschijnt weer met zijn hoofd om de hoek.

'Mevrouw Spatjes, zullen we nu eerst een kop thee gaan drinken en een roomsoes eten? Om te vieren dat ú er tenminste bent.'

Oma legt de hoorn terug op het toestel.

'Graag,' zucht ze. 'En als je zo aardig voor me blijft, overweeg ik je te adopteren en je op te nemen in mijn testament. Maar, ssst. Niks zeggen tegen mijn kinderen, want die doen nogal ingewikkeld over geld. Toch denk ik er al jaren over om mijn geld aan een goed doel te schenken. Welnu, ik vind jou een goed doel.'

Lambert glimlacht. 'Oma,' zegt hij. 'Nu eerst een soes.'

De eerste gasten

Oma, Lambert en Pamela zitten op het versgemaaide gazon achter het landhuis. Pamela heeft een ouderwets gehaakt tafelkleed over de ronde tafel gedrapeerd. Ze zitten met z'n drieën in oude houten leunstoelen en oma geniet. De soes is overweldigend lekker, de zon schijnt, en de bloesemknoppen in de bomen staan bijna op springen. Heel in de verte huppelt een jong hertje langs de boszoom; het is een volmaakt schilderachtig aanzicht.

Oma bet haar lippen met een lichtroze papieren servet. Met het puntje pinkt ze een traantje weg.

'Jullie hebben het begrepen,' zegt ze haast onhoorbaar. 'Dit tafereeltje, met de ronde tafel en de stoelen, met op de achtergrond een huppelende hinde. Hebben jullie dat beestje ingehuurd, of loopt hij hier vaker rond?'

'Met enige regelmaat, oma,' zegt Lambert. Hij is inmiddels al zo familiair geworden, dat hij mevrouw Spatjes nu oma noemt. 'Wij huren uiteraard geen beesten in om het beeld te vervolmaken. Wat u hier ziet, is puur natuur.'

'Weet je,' snift oma. 'Het lijkt op vroeger. Toen zaten we ook altijd om de tafel, met een gladgestreken tafellaken. Toen maakte mijn moeder wentelteefjes, mijn vader vlocht manden van het riet dat hij langs de slootkant had gestoken, ik holde achter een hoepel aan en mijn zusje speelde met haar pop. We waren gelukkig. Vroeger was het leven simpel. Nu moet alles zo ingewikkeld.'

Lambert en Pamela zuchten.

'Tegenwoordig heb je een IPod en een mp3-speler en een Wii en een Blackberry en een mobiel en een laptop en een hopperdeflop. Maar denk je dat de mensen er gezelliger van zijn geworden? Denk je dat ze elkaar meer spreken, meer zien, meer schrijven ...?'

Oma stopt het laatste grote stuk van haar roomsoes in haar mond.

'Nee,' zegt ze met roomsoes en al. 'Maar jullie zijn lief.'

Meer kan oma niet zeggen, omdat ze wordt overstemd door het geronk van een helikoptermotor. Tegelijkertijd kijken oma, Lambert en Pamela naar boven. In de lucht cirkelt een knalroze helikopter met rode wieken. Op het toestel staat geschreven: *Storm, Stoer, Sterk en Zus feliciteren hun onvergetelijke oma met haar vijfentachtigste verjaardag.*

Het toestel draait een halve slag. Aan de andere kant staat nog iets geschreven, met sierlijk krullende letters: *Moeder, schoonmoeder, wij houden van u en wensen u nog een lang en gezond en gelukkig leven. Dank u voor alles. Katinka en Jochem.*

'Kijk,' zegt oma, met rood aangelopen konen. 'Dergelijke acties, daar houd ik van.'

Het toestel cirkelt nog een paar keer rond, dan zet het langzaam de daling in. Achter in het weiland schiet een hertje het bos in, als vlak voor hem de helikopter landt. Oma staat op en zo snel als haar benen haar nog kunnen dragen, loopt ze naar de sloot die de tuin van het weiland scheidt.

De deur van de helikopter gaat open en binnen een seconde zijn er vier kinderen door het gat op de grond gesprongen. Stoer, Storm, Sterk en Zus hollen naar oma toe. En oma houdt het niet meer. Ze doet drie passen naar achteren, trekt haar jurk omhoog, neemt een aanloop en springt over de sloot.

Even later heeft ze vier van haar bloedjes in haar armen gesloten.

Bijna compleet

Iedereen heeft oma omarmd, de wieken van de helikopter zijn stilgelegd, en de aanwezige familieleden smullen nu van hun roomsoes met aardbeien. Voor de kinderen heeft Pamela extra chocoladesaus gemaakt. Hun monden zijn bruin, en hun voeten vies van de sloot waarin ze al meteen hebben rondgesprongen.

Oma geniet van iedereen en haar dochter Katinka geniet van de rust die over de kinderen is neergedaald, nu ze hun gebakje opsmikkelen.

Maar niet voor lang! Storm kan het niet laten het laatste stukje roomsoes met een klap in de mond van zijn broer Sterk te slaan, zodat hij slagroomklodders tot aan zijn oren heeft zitten. Dat laat Sterk natuurlijk niet over zijn kant gaan. Hij springt op en trekt Storm aan zijn been van de mooie houten stoel af en sleept hem een stukje achter zich aan. Storm stuitert met zijn billen over het grindpad, draait zich om, pakt een steentje en gooit het naar zijn grote broer. Helaas belandt het steentje tegen het voorhoofd van zijn kleine broer, die het nu zo zat is, dat hij zich bukt om een handvol stenen te pakken en die naar zijn broer te gooien.

Hij komt overeind, brengt zijn arm naar achteren, en kijkt recht in de ogen van een beeldschoon meisje met een kooitje in haar hand.

Haast verlamd van verrukking blijft Stoer staan, met de stenen nog in zijn hand.

'Wie ben jij?' vraagt hij.

'Claudia,' antwoordt het meisje met haar fluweelzachte stem. 'En wie ben jij?'

Stoer stottert zijn naam. 'St-t-t-toer,' zegt hij. 'Woon jij hier?'

'Nee,' antwoordt het meisje. 'Ik logeer hier vannacht. Maar nu moet ik Poetin naar bed brengen, want hij is moe van de reis.'

Stoer heeft de stenen tussen zijn vingers door op de grond laten vallen. Zijn twee broers zijn uit het zicht verdwenen. Achter Stoer omhelzen de twee zussen Katinka en Anneriek elkaar, maar hij ziet niets.

'Wie is Poetin?' vraagt hij aan het meisje.

Ze houdt haar kooi omhoog en laat het beestje aan hem zien.

'Ik moet gaan,' zegt ze en draait zich om.

'Mag ik mee?' vraagt Stoer.

'Wil je dat? Tuurlijk, als je maar rustig doet, Poetin is geen jongens gewend.'

Stoer slikt even. Bijna wil hij zeggen dat dit een heel stomme opmerking is, maar hij houdt zich in. Het meisje met wie hij meeloopt, het landhuis in, is zo prachtig.

Jammer

Als Stoer weer buiten komt, is het een drukte van jewelste. Hij is de grote voordeur uitgelopen en ziet allemaal mensen rond zijn oma staan. En achter al die mensen staat een vorstelijke, spiksplinternieuwe witte Lamborghini. Zijn twee grote broers staan erbij. En oom Albertus, met wilde witte krullende haren.

'Eindje rijden, boys?' roept hij.

'Yes!' gillen zijn twee broers in koor.

Stoer wurmt zich tussen de tantes en zijn grote neven en nicht door en loopt naar de auto toe.

'Ik heb bijna verkering,' fluistert hij tegen Sterk.

Bewonderend fluit zijn broer tussen zijn tanden. 'Hoe flik je hem dat zo snel?' vraagt hij.

Stoer trekt even een wenkbrauw omhoog. 'Charmes,' zegt hij.

'Pfff.' Storm stapt in de auto, die door zijn oom Albertus wordt opengehouden. Maar juist als hij zit, staat oma bij de auto.

'Geen sprake van!' roept ze. 'Heb ik net dit ongeciviliseerde stelletje ongeregeld bij elkaar, willen jullie alweer een stukje gaan joyriden? In geen tachtig dagen! We trekken nu de kurken van de champagneflessen. Op de reünie, op mijn vijfentachtigste verjaardag! Het wachten is nog even op Johannes, met zijn verrassing, maar hij had helaas brommerpech. Hij komt er zo aan.'

Teleurgesteld stappen de jongens weer uit de superchique auto.

Op dat moment klinkt er uit het huis een ijzige gil.

Het gezelschap is ogenblikkelijk stil en iedereen kijkt geschrokken op. Na een paar eeuwigdurende tellen, komt het kleine nichtje Claudia naar buiten. Ze draagt iets in haar hand en ziet lijkbleek.

'Kijk, daar is mijn bijna-verkering,' zegt Stoer zacht tegen Sterk.

'Ben je gek man, dat is je nicht.'

Stoer slikt en hij voelt het bloed uit zijn wangen trekken.

Claudia, het meisje met de zachtrode haren komt tree voor tree naar beneden, terwijl ze met een betraand gezicht naar haar hand blijft kijken.

Als ze beneden bij de mensen staat, zegt ze: 'Hij is dood.'

'Afschuwelijk,' zucht Anneriek. 'Haar eerste echt nare ervaring.' En ze zakt in elkaar.

Wie heeft dat gedaan?

'Hoe kan dat?' vraagt tante Georgina, de vrouw van Albertus.

'Wie doe nou zoiets?' vraagt tante Katinka.

'Wat een ellende,' roept Anneriek, als ze weer bij kennis is.

Claudia staat met de stille hamster in haar handen. Ze huilt duizend zilte tranen.

Haar moeder staat op en slaat haar beide armen om Claudia en de dode hamster heen.

'Meisje, schatje, lieverdje, wat verschrikkelijk voor je. Was je net in de hechtingsfase, en nu moet je alweer afscheid nemen. Zo kun je toch nooit een liefdesband met iemand opbouwen? Maar vertel eens, wat is er gebeurd? Na zoiets traumatisch moet je er altijd veel over praten. Dus stort je hart maar uit.'

Claudia trekt haar snotneus eens flink op. Ze kijkt om zich heen en wijst dan naar Stoer.

'Hij was erbij,' zegt ze. 'En toen was hij ineens weg.'

Alle ogen richten zich nu op het jongetje met de sproetjes en de kleine spleetjes tussen zijn tanden.

'Stoertje!' wordt er opeens geroepen. 'Lekkere kleine neef van me, hoe is het met je? En met je wandelendetakkenverzameling? Heb je ze nog? En speel je nog steeds trompet? Weet je nog, dat we samen speelden, toen oma tachtig werd? Jij, als ukkie van drie jaar, en toen al een trompet. Jij blies dwars door de spleten van je tanden heen.'

Magdalena, oma's oudste kleindochter en enige hippie van de hele familie, is naar Stoer gelopen. Magdalena heeft dreadlocks, ze loopt op slippers en haar tenen zijn zwart van de aarde. In de lokken van haar haren zijn houten kralen geregen. Sommigen slierten met kralen zijn langer dan de rest van de dreadlocks. Magdalena heeft met haar zeventien jaar al de halve wereld afgereisd, altijd met de trompet in haar rugzak en haar gitaar op haar rug.

'Stoertje, kijk me aan, jij bent geen dwerghamstermoordenaar, dat weet ik.'

Stoer schudt zijn hoofd.

'Hij zat nog in de kooi, toen ik de kamer uitging.'

'Maar waarom ging jij zomaar ineens de kamer uit?' vraagt Anneriek.

'Je bent toch niet net zo geniepig als je moeder, Katinka? Die sloop vroeger ook altijd stilletjes naar mijn kamer, om zogenaamd alleen maar even te kijken. Als ze weer weg was, ontdekte ik dat ze de tube tandpasta had leeggespoten op de spiegel. En ik haatte de geur van tandpasta. Katinka! Weet je dat ik nog steeds bij een psychiater loop, om jou!'

'Hola!' Oma zwaait met haar wandelstok in de lucht. 'Geen geruzie, iedereen is oud en wijs genoeg om zijn eigen leven een beetje lollig te houden. We zijn nu bijna voltallig. De hamster is dood, maar wij leven nog! Hoezee. En die kleine meid komt er wel weer overheen. Anneriek, hou op met je gejammer. Zorg dat je een lieve man krijgt, die bij je blijft wonen, zodat je dochter zich aan hem kan hechten. Dat lijkt me beter dan je te hechten aan een mini-Poetin.'

'Daar gaat hij!'

Een hysterische gil komt uit de mond van het lieve, zachte meisje Claudia.

De boosdoener

Uit het huis schiet de rode kater van de hoteleigenaar.

'Dat kreng zat onder het bed, net toen ik mijn hamster de vierdaagse over het vloerkleed liet lopen.'

Claudia barst weer in huilen uit.

'En toen ... en toen,' snikt ze. 'Toen haalde hij uit met zijn poot en zat mijn Poetin aan zijn nagels vast. Ik wilde hem nog uit de klauwen van het beest losrukken, maar ik kreeg net zo'n steek in mijn hoofd. Het leek alsof er een spijker achter door mijn nek naar boven werd gestoken. Het duizelde me even voor mijn ogen, en toen ik ze weer opendeed, toen, toen ...'

Claudia snikt het uit.

Stoer loopt naar haar toe en slaat zijn arm om haar heen. 'Vertel het maar, nichtje,' zegt hij vol tederheid.

'Toen speelde die kat met mijn Poetin alsof het een speelgoedmuisje was. Hij gooide hem alle kanten op.'

Het is stil in de tuin van het landhuis. Alle tantes, ooms, neven en nichten, en natuurlijk oma, kijken naar het kleine, snikkende meisje.

En iedereen denkt: kan het ooit een keer normaal gaan bij de familie Von Spazieren bis Wandern.

En iedereen denkt ook: dat arme, kleine meisje, haar

hamster dood op zo'n gedenkwaardige dag.

'En nu, en nu ...' snikt Claudia.

'Nu wil ik een hond.'

'Ook dat nog,' zucht Anneriek. 'Een hond. Alsof ik niet genoeg problemen heb.'

'Een hond is wat anders dan een probleem, mama,' zegt Claudia plotseling fel.

'Een hond is je vriend, voor eeuwig.'

'En nu houdt iedereen zijn snater dicht!'

Oma schrikt van haar eigen woorden. Ze heeft de wandelstok weer in de lucht gestoken, een klein wormpje cirkelt om de punt.

'Claudia krijgt haar hond, Anneriek neemt een man, de rest krijgt extra geld als voorschot op mijn erfenis ...'

Ze wil nog meer zeggen, maar wordt overstemd door het geronk van een motor.

Alle hoofden draaien zich om naar de oprit, waar het grind onder de banden van een brommer wegspat.

Wie komt daar aan met een helm van voor de oorlog, een lange leren motorjas en een zonnebril zo groot als twee schotels?

Wie hobbelt er mee, lekker zittend op de duozit?

Van wie zijn die vuurrode haren, die onder de helm van de dame achterop wapperen?

Feest!

Johannes met zijn Marjorieke!

Alle aanwezigen klappen in hun handen. Johannes brengt zijn antieke brommer tot stilstand en zet zijn voet op de grasrand neer. Zelfs achter zijn donkere brillenglazen zie je zijn ogen glinsteren. De passagier zet haar helm af, schudt haar haren los en kijkt naar de mensen die vanaf nu haar schoonfamilie zullen zijn.

'Johannes,' zuchten Albertus, Katinka en Anneriek, in koor.

Johannes stapt van zijn brommer, doet zijn helm af, omarmt zijn Marjorieke en kijkt glunderend naar zijn familie.

'Gevonden,' zegt hij.

'Wat?' vraagt iedereen.

'Alles.'

'Wie is dat?' vraagt de kleine Zus.

'Dat is nu Johannes de Geit,' fluistert haar moeder Katinka.

'De geit?'

'Ssst.'

'Hij ziet er helemaal niet uit als een geit.'

'Sst, nee. Maar hij ís een geit, ik bedoel ...'

'Dat is helemaal geen geit. Dat is mijn oom, hij lijkt me heel aardig.'

'Mag ik een stukje rijden?' vragen Storm en Sterk en Stoer tegelijkertijd.

'Alles mag,' lacht Johannes. 'Maar eerst ga ik jullie voorstellen aan mijn verloofde, Marjorieke!'

Hij knijpt zijn liefje bijna fijn. Marjorieke maalt er niet om. Liefdevol kijkt ze haar kersverse verloofde aan.'

'En natuurlijk oma, moeder, mama! Waar ben je?'

Waar is oma nu weer?

Is eindelijk de hele familie compleet, is het feestvarken ervandoor. Het zal toch weer niet waar zijn! Kan het ooit eens gewoon bij de familie Spatjes?

'Joehoe, hier ben ik!' roept oma. Ze staat boven op het bordes van het landhuis. In beide handen heeft ze een metalen flessenrekje.

Oma tilt de flessenrekjes met twee keer zes flessen de lucht in.

'Champagne! En nu geen gedonder meer. Ik ben dolgelukkig dat jullie er allemaal zijn.'

'Wij ook!' roepen alle kinderen in koor. 'Eindelijk weer eens allemaal bij elkaar!'

'Precies. Daarom: champagne!' roept oma. 'Op het leven, op ons!'

Els Rooijers
Pareltje en de rapwedstrijd

Pareltje heeft erge geldnood.
Daarom stuurt ze een mailtje:

Ali B,
Ik, Pareltje, ben negen jaar en kan veel beter rappen dan jij.
Geloof je me niet? Dan daag ik je uit voor een wedstrijd.
Drie liedjes ieder. Wie wint krijgt duizendmiljoen.
Durf je het aan of ben je een schijtkippie?
De hartelijke balle, Pareltje

Wat zal Ali B antwoorden?
En gaat hij de uitdaging aan?

Met tekeningen van Camila Fialkowski

Christel van Bourgondië
Dikkedunne Merle

Op een klassenfoto ziet Merle een nijlpaard en tot haar schrik ontdekt ze dat zij dat zelf is. Ze is zo megadik, dat ze niet veel meer kan en ook geen vrienden heeft.
En nu willen ze haar ook nog opsluiten in een dierentuin.
Maar dan komt er een woest uitziende vrouw langs, die beweert dat ze Merle zal redden.

Met tekeningen van Alice Hoogstad

Peter Vervloed
En hier is ... Niels!

Niels verhuist van een dorp naar een stad. Hij vindt het vreselijk. Hij moet afscheid nemen van zijn vrienden en, nog erger, van zijn vriendinnetje Merle! In het nieuwe huis is alles vreemd. En op zijn nieuwe school ook. Niels heeft het echt niet naar zijn zin. Als hij ook nog wordt uitgescholden, besluit hij dat het tijd is voor actie. Hij gaat terug naar zijn oude, vertrouwde dorp. En wel onmiddellijk, op de fiets!

Met tekeningen van Els van Egeraat

Bies van Ede

De drie weesjongens

'Ze zeggen ...'
'Ja, dat heb ik ook gehoord ...'
'Wat vreselijk! Hoe moet het nu verder?'
'Niemand weet het!'
Als dat soort dingen gefluisterd wordt, weet iedereen dat er iets ergs aan de hand is. Niemand weet precies wát, dus iedereen bedenkt zelf iets. 'Er is een monster in de stad gekomen. Het heeft zijn nest onder de Domkerk gemaakt!' zeggen sommige mensen. 'Het bewaakt een goudschat! Het gaat pas weg als het drie jonkvrouwen krijgt,' vertelt weer iemand anders.

Wat zou er aan de hand zijn in Utrecht?
De drie weesjongens gaan op onderzoek uit. Beleef hun avontuur mee!

Met tekeningen van Yolanda Eveleens